Je commence à lire

ISBN 2-203-11070-8

Le lapin

de

Pâques

auteur : Winfried Wolf
illustrateur : Agnès Mathieu

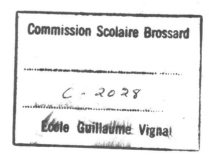
Titre de l'édition originale. *Der Osterhase.*
© 1984. Otto Maier Verlag. Ravensburg.
ISBN 3-473-33914-8

© Casterman 1987.
traduction française de Barbara Schild.

casterman

— Les lapins de Pâques, ça n'existe pas !
Du moins, beaucoup de gens le pensent.
Ils disent :
— Un lapin est un lapin ; qu'il soit
dans son clapier ou dans les champs,
ils ne sait pas pondre d'œufs.
Alors, comment pourrait-il en apporter
pour Pâques ?

D'ailleurs un lapin ne sait pas ouvrir
une porte ou sauter au-dessus d'une clôture.
Et où trouverait-il un panier pour transporter
ses œufs si toutefois il en avait?

De plus, tous les lapins ont peur
des hommes!
C'est triste, mais c'est comme ça!
Pourtant, ce serait merveilleux
si tu imaginais un lapin de Pâques
rien que pour toi.

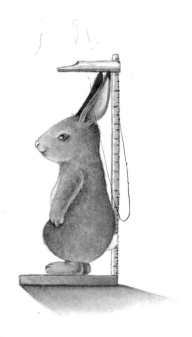

Le voici déjà! Il a plus ou moins ta taille
et de belles, longues oreilles.
Il est habillé d'un costume de toutes
les couleurs, et sur son dos, il porte un petit
panier dans lequel il y a tous tes cadeaux.

Il vient chez toi! Il traverse des prairies,
des bois et bondit au-dessus des ruisseaux.
Oh! voilà un renard qui tente de le rattraper.

Mais le lapin n'est pas du tout effrayé.
— Je suis le lapin de Pâques, lui dit-il
calmement.
— Oh, alors je te présente toutes
mes excuses ! lui répond le renard.

Ton lapin arrive dans un petit village.
Un chien accourt en aboyant à tue-tête.
Mais quand il voit que c'est le lapin de
Pâques, il frétille joyeusement de la queue.

Le lapin de Pâques enjambe des haies,
traverse des jardins et arrive enfin au seuil
de ta porte.

Il enfonce la pointe de l'une de ses longues
oreilles dans la serrure en tournant
très doucement et très prudemment.
Ça y est! La porte s'ouvre.

Maintenant, il cache les œufs et des tas
d'autres petits cadeaux qu'il a apportés.
Et quand tu te réveilleras le dimanche
de Pâques et que tu trouveras les œufs,
tu sauras avec certitude que...

c'est ton lapin de Pâques qui a apporté tout
cela !
Il a fait cette longue route rien que pour toi.
Et c'est le plus beau lapin de Pâques
du monde, car toi seul tu l'as imaginé !